신기한 스쿨 버스

The Magic School Bus® – Lost in the Solar System

태양계에서 길을 잃다

조애너 콜 글 · 브루스 디건 그림 / 이연수 옮김

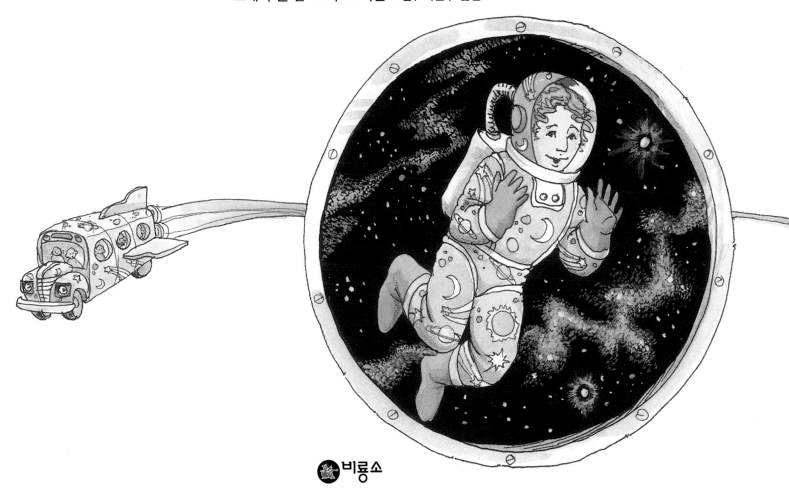

비룡소

이 책을 준비하는 데에 도움을 주신
스탠퍼드 대학교 레이더 천문학 센터 도너 그레쉬 박사님께 감사드립니다.
그리고 적절한 충고를 해 준 천문학 작가이자 아메리칸 뮤지엄-헤이든 천문대의
프로듀서인 존 스토크 씨께 감사드립니다.

신기한 스쿨 버스
태양계에서 길을 잃다

1판 1쇄 펴냄―1999년 11월 20일. 1판 14쇄 펴냄―2003년 3월 6일
글쓴이―조애너 콜/그린이―브루스 디건/옮긴이―이연수/펴낸이―박상희
펴낸곳―(주)비룡소 / 출판등록 1994. 3. 17. (제16-849호)
주소―135-887 서울시 강남구 신사동 506 강남출판문화센터 4층
전화 ― 영업(통신판매) 515-2000(내선 1)/ 팩스 515-2007/ 편집 3443-4318~9
홈페이지―www.bir.co.kr

The Magic School Bus: Lost in the Solar System
by Joanna Cole and illustrated by Bruce Degen
Text Copyright ⓒ 1990 by Joanna Cole
Illustrations Copyright ⓒ 1990 by Bruce Degen
All rights reserved and/or logos are trademarks and registered trademarks of Scholastic, Inc.
Korean Translation Copyright ⓒ 1999 BIR Publishing Co., Ltd..
Korean translation edition is published by arrangement with
Scholastic Inc., 555 Broadway, New York, NY 10012, USA through KCC.
Scholastic, THE MAGIC SCHOOL BUS, 신기한 스쿨 버스
and/or logos are trademarks and registered trademarks of Scholastic, Inc.

값 7,500원

ISBN 89-491-3049-1 74400
ISBN 89-491-3045-9 (세트)

버지니아와 봅 맥브라이드에게
― 조애너 콜

우주선 게임의 여왕, 크리스에게
― 브루스 디건

태양계란 무엇일까요?
　　　　　　　　　　　- 존
태양계란 태양과 태양 주위를
궤도를 그리며 도는 것들,
그러니까 행성 아홉 개와
달 같은 것, 소행성(바윗덩어리),
혜성(얼음과 먼지 덩어리)
들을 통틀어 말합니다.

또다시 우리 반이 견학을 가는
날입니다.
그래서 모두들 들떠 있었죠.
이번 견학 장소는 태양계를 관찰할 수
있는 천문대랍니다.

여러분, 궤도란
행성이나 다른 별이
태양 주위를 도는
길을 말한답니다.

태양

알베르트 아인슈타인
$E = MC^2$
내가 존경하는
물리학자

자주개자리
내가 좋아하는
식물

4

── 궤 도

우리 학교 건물이
너네 학교보다 더 높다.

우리 학교 그네가
너네 학교 그네보다 더 좋아.

우리 선생님은
프리즐 선생님보다 더 이상해.

우리는 재니트에게 친절하게 대하려고 애썼어요.
정말로 친절하게 대했답니다.
스쿨 버스에 오를 때에, 우리는 그 애한테 프리즐 선생님이
우리 학교에서 가장 이상한 분이라고 말해 주었습니다.
하지만 재니트는 별로 관심이 없었어요. 재니트는 자기 얘기만
하고 싶어했거든요.

학교가 높아서
좋은 게 뭐지?

먼저처럼 이 고물 버스는 출발하는 데에만 시간을 많이 잡아먹었습니다. 그래도 마침내 출발은 하게 됐죠. 버스가 출발하자, 프리즐 선생님께서는 지구가 자기 궤도를 돌면서 동시에 팽이처럼 혼자서도 돈다고 말씀해 주셨어요. 천문대까지는 금방 도착하기 때문에 선생님은 말씀을 빨리 하셨죠.

이 차 정말 고물이야.

그래도 출발은 하잖아.

우리 스쿨 버스는 새 차야.

밤과 낮이 생기는 이유는 무엇일까요?
- 피비

밤과 낮이 생기는 이유는 지구가 돌기 때문입니다. 어떤 장소가 태양을 향하면 햇빛을 받아서 낮이 됩니다. 그러다가 지구가 자전을 해서 햇빛을 받지 못하면 밤이 됩니다.

지구가 팽이처럼 도는 걸 자전한다고 해요. 지구가 완전히 한 바퀴를 도는 데에는 24시간이 걸려요.

7

우리가 천문대에 도착했을 때
천문대는 수리중이었습니다.
"여러분, 아무래도 학교로 돌아가야
할 것 같아요."
우리는 너무나 실망했습니다.

학교로 돌아가는 길에 빨간 신호등 앞에서
기다리는데, 놀라운 일이 벌어졌습니다.
버스 앞쪽이 들리더니 굉장한 소리가
났답니다. 로켓이 발사될 때처럼요.
프리즐 선생님께서 말씀하셨어요.
"이런, 버스가 발사된 것 같네요."

학교로 돌아간다고?

너무해! 실망이야 정말.

우리 학교에서 견학 가는
천문대는 늘 열려 있는데.

수리중이라 쉽니다.

또 시작이야.

이런 말도 안 되
견학이 어디 있어

우주선을 로켓으로 쏘아 올리는 이유는 무엇일까요?
— 완다
우주선은 스스로 우주로 날아갈 만한 힘이 없습니다. 우주선을 지구의 강한 중력에서 벗어나게 하려면, 로켓으로 쏘아 올려야 합니다.

중력이란 무엇일까요?
— 마이클
중력은 물체를 지구의 중심 방향으로 잡아당기는 힘입니다. 다른 행성에도 중력이 있습니다. 대개 크기가 크면 클수록 중력이 더 커집니다. 작은 행성은 대개 중력이 작습니다.

9

버스 우주선 밖의 검은 하늘 저편으로
우리의 행성 지구가 점점 더 멀어지고 있었어요.
우리는 우주를 여행하고 있었습니다!
우주 비행사가 된 것입니다!

여러분, 푸른 바다, 흰 구름,
그리고 갈색 땅을 보세요.

너무 아름다워!

여기서 보니까 지구가 너무 작다!

화장실에 갔다 왔어야
했는데……

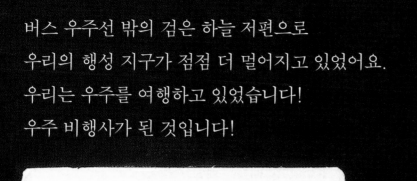

가장 먼저 도착한 곳은 달이었습니다.
우리는 버스에서 내려 주위를 둘러보았죠.
공기도 물도 없었고, 생명체가 사는 흔적도
찾아볼 수 없었답니다.
보이는 건 그저 먼지와 바위, 그리고 수많은
크레이터들뿐이었습니다.
프리즐 선생님께서 이 크레이터들은 수십억 년 전에
운석이 달에 떨어져서 생긴 것들이라고
말씀해 주셨어요. 공중에서 떨어지는 바위나
금속 덩어리를 운석이라고 합니다.

달에 오니까 몸이
너무 가벼워!

그건 달의 중력이
지구의 중력보다 더
작기 때문이에요.

달에서 당신 몸무게와
운명을 말해 드립니다

kg	kg
38.5	6.3
지구에서의 몸무게	달에서의 몸무게

당신은 먼 곳을
여행하게 될
것입니다.

달은 정말 재미있었어요. 우리는 더 놀고 싶었지만
떠날 시간이 되어서 다시 버스에 올라탔습니다.
프리즐 선생님께서 말씀하셨어요.
"우리는 태양계의 중심인 태양부터 볼 거예요."
그리고 버스가 다시 발사됐습니다.

얼마나 높이 뛰는지 좀 봐!

난 작년에 전국 줄넘기 대회에 나갔어. 물론 상을 탔지.

전국 허풍 경연 대회는 안 나갔니?

달을 빛나게 하는 것은 무엇일까요?　　－레이첼

달은 스스로 빛을 내지 못합니다.

지구에서 보는 달빛은 사실 햇빛입니다.

거울에 비친 빛이 반사되듯이 달빛은 달에 비친 햇빛이 반사된 것입니다.

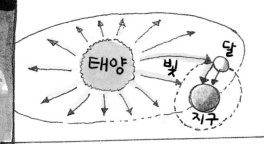
태양　빛　달　지구

달의 궤도
　　　－아만다 제인

지구가 태양 주위를 도는 것처럼
달은 지구 주위를 돕니다.

태양은 별입니다.
　　　　　　-카멘

태양은 우리가 밤하늘에서
볼 수 있는 별과
같은 종류입니다.

낮에만 볼 수
있는 별이 뭐게?

그야 쉽지. 태양!

태양은 얼마나 클까요?
　　　　　　-그레고리

태양의 지름은
백만 킬로미터가 넘습니다.
지구를 태양 안에 집어 넣으면
백만 개 이상이 들어갑니다.

버스는 태양계에서 가장 크고, 가장 밝고, 가장 뜨거운 별인
태양을 향해 가까이 갔습니다.
태양 표면에서는 아주 뜨거운 가스가
버스 쪽으로 솟아올랐죠.
다행히도 프리즐 선생님께서는
우리를 태양 아주 가까이에 데려가진 않으셨어요!

여러분, 절대로 태양을 맨눈으로 보면
안 돼요. 시력을 잃을 수가 있으니까요!

선생님도 절대로 태양에
직접 착륙하시면 안 돼요!

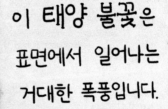

이 태양 불꽃은
표면에서 일어나는
거대한 폭풍입니다.

우리는 태양의 나른 쪽도 보고 나서
태양으로부터 멀어져 갔습니다.
프리즐 선생님께서 설명하셨어요.
"여러분, 이제 태양계에 있는 모든 행성을 차례대로 볼 예정이에요.
수성은 태양에서 가장 가까운 첫번째 행성이지요."

○ 태양은 얼마나 뜨거울까요?
　　　　　　　　－플로리

태양 중심의 온도는
약 1천 5백만 도나 됩니다.
○ 태양은 아주 뜨거워서
수백만 킬로미터 떨어진
곳에 있는 행성에도
열을 보낼 수 있습니다.
○

우리 학교는
태양열로 난방한다.

나는 선글라스가 열 개나 있다.

우리 집에는
일광욕하는 베란다도 있다.

재니트, 제발 그만해.

흑점은
태양 표면에서
다른 곳에 비해
온도가 낮은 부분입니다.

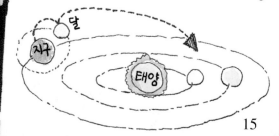

지금까지의 태양계 여행

15

조금 후에 우리는 버스가 금성의 중력에
끌리고 있다는 걸 알았습니다.
금성은 태양에서 봤을 때에 두번째 행성이죠.
금성은 두껍고 노란 구름으로 완전히 뒤덮여 있었습니다.
프리즐 선생님께서는 금성 표면을
탐험하겠다고 말씀하셨어요.

금성 구름은 왜 노란색일까요?
ㅡ팀
지구 구름은 수증기로 이루어져
있기 때문에 흰색입니다.
금성 구름이 노란색인 이유는
대부분 황산이라는 노란색
독가스로 이루어져 있기
때문입니다.

점심도 안 먹었는데
몸무게가 늘었네.

수성이나 달에서보다 몸무게가
더 많이 나갈 거예요. 금성의
중력이 더 크기 때문이죠.

금성에서 당신 몸무게와
운명을 말해 드립니다

kg	kg
38.5	34.9
지구에서의 몸무게	금성에서의 몸무게

당신의 앞날은
구름처럼
흐려 보입니다.

금성하고 똑같네!

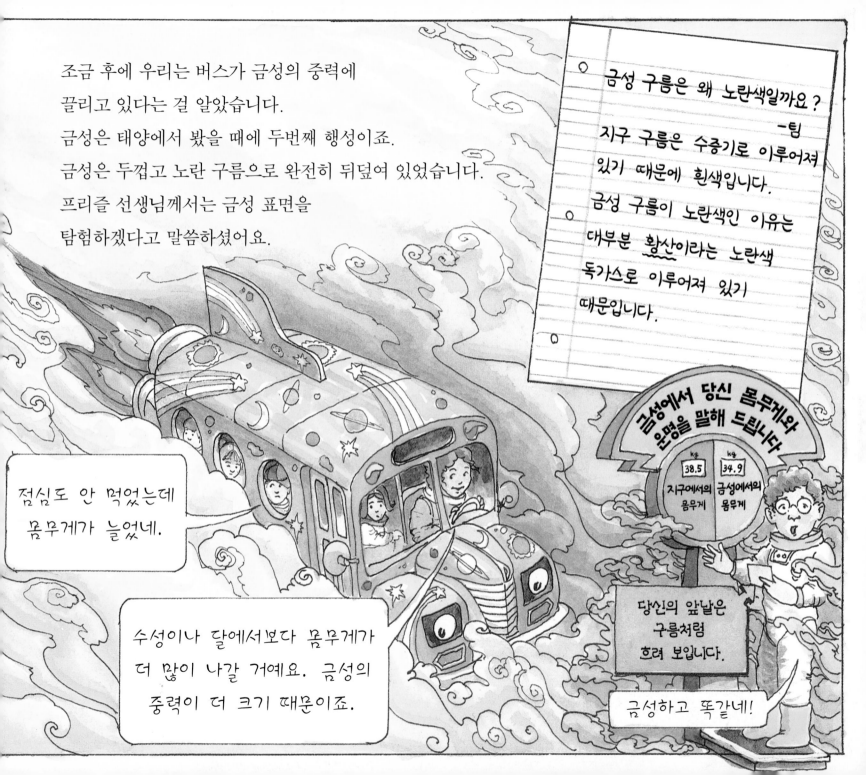

금성은 왜 이렇게 더울까요?
　　　　　　　　－랠프

금성의 공기에는 이산화탄소가
많이 들어 있습니다.
이산화탄소는 열을 붙잡아 두는
담요와 같답니다.

이렇게 공기 중에
열이 갇히는 현상을
"온실 효과"라고 합니다.

구름 아래로 보이는 금성은
마치 사막처럼 메말라 있었습니다.
땅은 바위투성이였죠.
그리고 굉장히 뜨거웠어요!
온도가 400도나 되었답니다!
과자 굽는 오븐보다 더 높은 온도라고요!

여러분, 금성에는
생명체가 없답니다.

너무 더워!

너무 건조해!

황산이 너무 많아!

어서 떠나요!

금성의 공기는 너무 무거워서 우리를 짓누르는 것
같았습니다. 프리즐 선생님께선 금성에
화산도 있다고 하셨어요. 그래서 우리 모두 외쳤죠.
"빨리 여기서 나가요!"
프리즐 선생님께서 계속 말씀하셨어요.
"다음에는 화성에 내리기로 하겠어요. 화성은 태양에서
네번째로 멀리 있는 붉은 행성이에요. 우리는 도중에
세번째 행성인 지구의 궤도를 지나갈 거예요."
버스는 요란한 소리를 내며 올라갔습니다.

나는 화성에
여러 번 다녀왔다.

재니트 말은
무시하자.

금성에는 비가 내리지 않습니다.
　　　　　　　　　-도로시 앤
금성에는 구름이 많지만
비가 내리지는 않습니다.
금성 온도가 너무 높아서
빗방울이 맺히지 않기
때문입니다. 금성에는 액체가
있어도 바로 증발해 버립니다.

지금까지의 태양계 여행

○ 화성의 달은 왜 둥글지 않을까요?

－존

달이 크면 중력 때문에
둥글게 됩니다.
○ 수십억 년 전에 커다란 달이
만들어질 때에, 달 중력이
달을 이루고 있는 물질을
○ 골고루 끌어당겨서
둥글게 되었습니다.

하지만 화성의 달
두 개는 크기가 너무 작아서
중력이 강하지 않습니다.
그래서 둥글지 않습니다.

화성에 가까워지자 우리는 포보스와 데이모스라고 부르는
화성의 달 두 개를 보았습니다.
우리 달과 비교하면 그 달들은 아주 작았죠.
그리고 둥글지도 않았어요.

포보스
(길이 29 킬로미터)

데이모스
(길이 14.5 킬로미터)

화산

옛날에는 저 물길에
물이 있었던 것
같아요.

그래요. 하지만
지금은 화성의 물이
모두 극관 안에
얼어 있어요.

저게 달이야?

구멍 난 감자 같네.

20

아래를 내려다보니 거대한 골짜기가 있었습니다.
프리즐 선생님께선 그 골짜기 길이가
아마존 강보다 더 길다고 설명하셨죠.
지구에서 가장 높은 화산보다
세 배나 더 높은 화산도 있었습니다.
주위에는 물길이 있었는데 말라 버린 강바닥처럼 보였답니다.

화성에는 생명체가 있을까요?

-몰리

아직까지는 화성에서 생명체를
찾지 못했습니다.
생명체한테는 물이 필요합니다.
하지만 화성에는 액체 상태의
물이 없습니다.
그래서 과학자들은 화성에
생명체가 살지 못할 거라고
생각합니다.

극관(극지방 얼음)

골짜기

물길

지구야말로 생명체가
살기에 최고로 좋은 곳이야.
그래서 나는 지구에 살지.

화성에서 당신 몸무게와
운명을 말해 드립니다

kg	kg
38.5	14.5
지구에서의	화성에서의
몸무게	몸무게

조만간 모든 것이
장밋빛으로
보일 것입니다.

재니트는 만날
자기가 최고래.

그러게 말이야.

21

화성은 왜 붉게 보일까요?
　　　　　　 －아널드

화성 흙에 녹슨 철이
많이 들어 있기 때문입니다.
하늘이 분홍빛으로 보이는
이유는 공기 중에 붉은 흙먼지가
많이 있기 때문입니다.

우리는 화성에 착륙해서 그 위를 걷기 시작했습니다.
그런데 갑자기 거대한 먼지 폭풍이 불어닥쳤지 뭐예요.
프리즐 선생님께서 화성에서는 이런 폭풍이 몇 달씩 계속 분다고
말씀해 주셨어요. 이런 폭풍은 화성 전체를 뒤덮기도 한대요.
우리는 재빨리 버스를 타고 화성을 떠났습니다.

여기 외계인
안 계세요?

없는 것 같은데.

그거야
알 수 없지.

"화성은 지구형 행성들 중에 가장 바깥에 있는 행성이에요."
프리즐 선생님께서 로켓 소리보다 더 크게 외치셨어요.
"우리는 소행성대라고 부르는 작은 행성들의 띠를 지나서
목성형 행성들을 향해 갈 거예요."

지구형 행성들이란 무엇일까요?
— 알렉스

지구형 행성들은 태양에서 가까운
수성, 금성, 지구, 화성을 말합니다.
지구형 행성들은 모두
단단하고 바위가 많습니다.
그리고 목성형 행성들은
화성보다 멀리 있는 행성들을
말합니다.

출입문
함부로 열지
마시오

지금까지의 태양계 여행

소행성대란 무엇일까요?
　　　　　　　　　　-셜리

지구형 행성들과
목성형 행성들 사이에는
소행성대라고 부르는 곳이
있습니다.
이 소행성대에는 소행성들이
수백만 개나 있습니다.

소행성이란 무엇일까요?
　　　　　　　　　-플로리

소행성은 태양 주위의 궤도를 도는
바위나 금속 덩어리입니다.
과학자들은 이 소행성들이
행성을 이루지 못한 조각이거나
행성에서 떨어져 나온
조각이라고 생각합니다.

소행성 수천 개가 여기저기에서 돌고 있었습니다.
그런데, 갑자기 유리 깨지는 소리가 들렸어요.
버스 뒤쪽의 등 하나가 소행성에 맞아 깨졌답니다.
프리즐 선생님께선 버스가 자동으로 가도록 해 놓으시고
버스를 살펴보러 나가셨죠.
선생님께서는 밖에서도 버스 안내 방송으로
소행성에 대해 계속 설명하셨어요.

가장 큰 소행성도 지구 달의
⅓ 정도밖에 안 돼요.
소행성은 대개 집만하거나
그보다 작답니다.

선생님, 어서
들어오세요.

갑자기 "뚝" 하는 소리가 들렸습니다.
이런! 프리즐 선생님한테 연결되어 있던
줄이 끊어졌어요! 그리고 갑자기
버스가 멀리 날아가 버리고 말았습니다.
자동 조종 장치가 고장난 거죠!

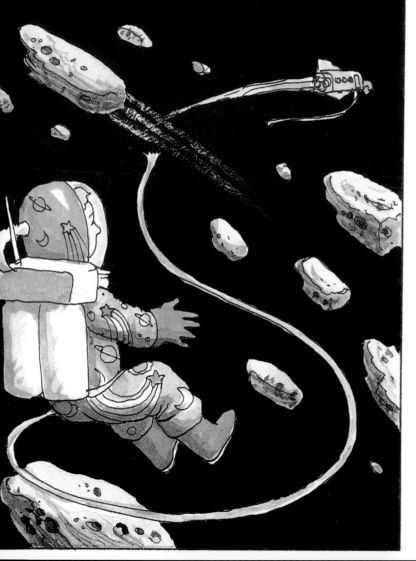

방송으로 들리던 프리즐 선생님 목소리가
점점 희미해졌습니다. 그러다가 선생님께선
사라져 버렸죠. 이젠 우리만 남은 거예요!
우리는 태양계 한복판에서 길을 잃었어요!

여러분, 나중에 만나요.
나중에……, 나중에…….

프리즐 선생님, 제
목소리 들리세요?

25

우리는 너무 무서운 나머지 꼼짝도 할 수 없었어요.
그런데 재니트가 버스에서 무언가를 찾기 시작하더니
버스 사물함에서 프리즐 선생님 공책을 찾아냈어요.
재니트가 그 공책을 읽기 시작하자
거대한 행성이 나타났답니다.
"여러분, 이 행성이 목성입니다.
목성은 목성형 행성들 중에 첫번째 행성이고
태양계에서 가장 큰 행성입니다."

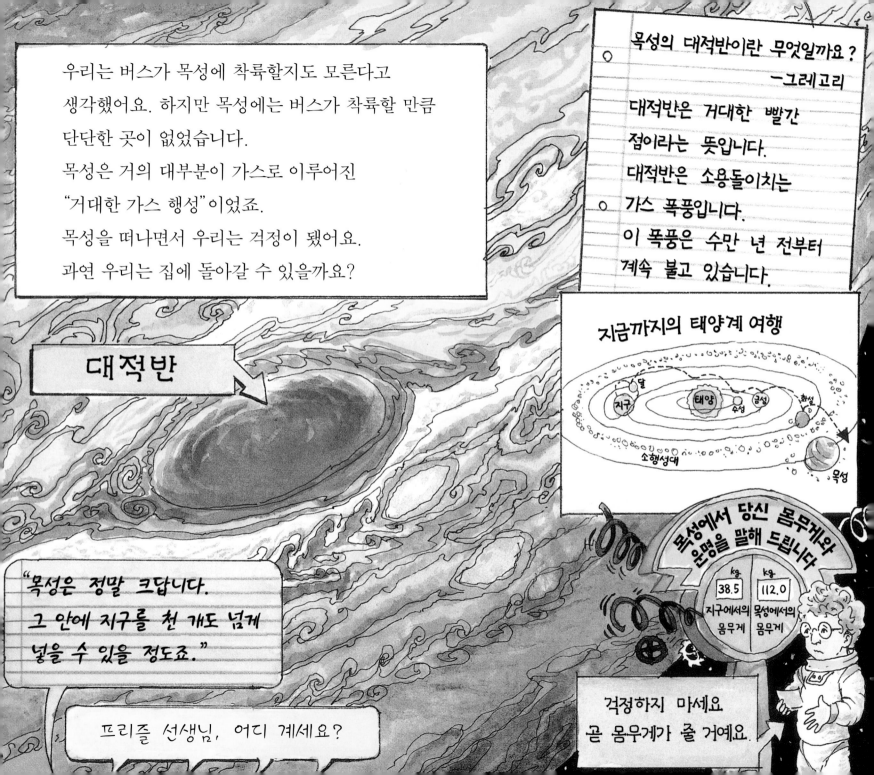

우리는 버스가 목성에 착륙할지도 모른다고 생각했어요. 하지만 목성에는 버스가 착륙할 만큼 단단한 곳이 없었습니다.
목성은 거의 대부분이 가스로 이루어진 "거대한 가스 행성"이었죠.
목성을 떠나면서 우리는 걱정이 됐어요.
과연 우리는 집에 돌아갈 수 있을까요?

목성의 대적반이란 무엇일까요?
—그레고리

대적반은 거대한 빨간 점이라는 뜻입니다.
대적반은 소용돌이치는 가스 폭풍입니다.
이 폭풍은 수만 년 전부터 계속 불고 있습니다.

대적반

지금까지의 태양계 여행

달
지구
태양
수성
금성
화성
소행성대
목성

"목성은 정말 크답니다.
그 안에 지구를 천 개도 넘게 넣을 수 있을 정도죠."

프리즐 선생님, 어디 계세요?

목성에서 당신 몸무게와 운명을 말해 드립니다
kg
38.5
지구에서의 몸무게
kg
112.0
목성에서의 몸무게

걱정하지 마세요
곧 몸무게가 줄 거예요.

토성의 고리는 무엇일까요?
—레이첼

토성의 고리는
얼음, 바위, 먼지 들로
이루어져 있습니다.
그것들이 토성 주위를
돌고 있는 것입니다.

다음에 나타난 광경 덕분에
걱정거리가 몽땅 달아나 버렸습니다.
목성같이 가스 행성인 토성이 나타났거든요.
토성에도 소용돌이치는 구름이 보였고 달도 많이
있었습니다. 하지만 정말 굉장한 광경은 토성 고리였죠.
토성은 태양계에서 가장 아름다운 행성이었어요!

"여러분, 토성에는
고리가 수천 개나
있답니다."

수천 개라고? 몇 개
안 되는 것 같은데?

보이는 대로 믿으면
안 되죠.

토성에서 당신 몸무게와
운명을 말해 드립니다

kg	kg
38.5	40.8
지구에서의 몸무게	토성에서의 몸무게

당신은 곧
손가락에 반지를
끼게 됩니다.

다음엔 천왕성이 나타났어요. 이 청록색 천왕성 주위에는
희미한 회색 고리와 달이 여러 개 있습니다. 몇몇 과학자들은
천왕성의 고리와 달이 흑연으로 이루어져 있다고 말합니다.
흑연은 연필심을 만드는 데에 쓰이는 광물이죠.

버스는 점점 더 빨리 가고 있었습니다.
하지만 우리는 자동 조종 장치를 다룰 수 없었죠.
우리는 폭풍이 불고 있는 해왕성을 획 지나갔습니다.
이 청록색 해왕성은 태양계의 여덟번째 행성입니다.
우리 모두는 프리즐 선생님을 찾아야겠다는
생각밖에 없었습니다.

> "태양계에서 해왕성은 거대한 가스 행성으로는 마지막 행성입니다."

> 이제 버스 연료도 다 떨어졌어!

대암반

> 여기에서 가장 가까운 주유소로 가려면 40억 킬로미터를 되돌아가야 하잖아.

1년은 얼마나 될까요?
— 팀

1년은 행성이 태양 주위를 한 바퀴 도는 데에 걸리는 시간입니다.

해왕성과 천왕성은 태양에서 아주 멀리 떨어져 있어서 1년이 아주 깁니다.
천왕성이 한 바퀴 도는 데에는 지구 시간으로 84년이 걸립니다.

해왕성이 한 바퀴 도는 데에는 지구 시간으로 165년이 걸립니다.

해왕성에서 당신 몸무게와 운명을 말해 드립니다

kg	kg
38.5	44
지구에서의 몸무게	해왕성에서 몸무게

> 당신은 지금부터 165년이 지나야 생일 파티를 할 수 있습니다.

31

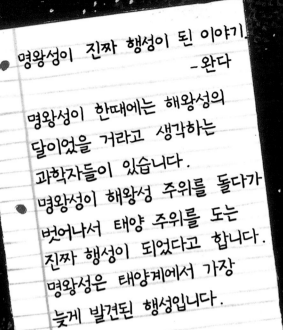

명왕성이 진짜 행성이 된 이야기.
　　　　　　　　-완다

명왕성이 한때에는 해왕성의
달이었을 거라고 생각하는
과학자들이 있습니다.
명왕성이 해왕성 주위를 돌다가
벗어나서 태양 주위를 도는
진짜 행성이 되었다고 합니다.
명왕성은 태양계에서 가장
늦게 발견된 행성입니다.

명왕성에서 당신 몸무게와
운명을 말해 드립니다

kg	kg
38.5	0.7
지구에서의 몸무게	명왕성에서의 몸무게

당신은
작고 어두운 행성을
만나게 됩니다.

버스는 정말 빠르게 날아가고 있었습니다.

그래서 우리는 크기가 작고 아홉번째 행성인 명왕성과,

명왕성의 달 카론을 지나칠 뻔했죠.

명왕성에서는 태양이 더 이상 크게 보이지 않았습니다.

태양은 그저 아주 밝게 빛나는 별로 보일 뿐이었죠.

우리는 태양계를 벗어나고 있었습니다.

★ 248년마다 해왕성의 궤도는 명왕성의 궤도 밖으로 벗어납니다. 이 때에는 해왕성이 아홉번째 행성이 됩니다. 그러나 대개는 명왕성이 아홉번째 행성입니다.

태양계 밖에는 별 말고 아무것도 없어.

어쩌면 열번째 행성이 우리를 기다리고 있을지도 모르잖아.

맞아, 그럴지도 몰라.

프리즐 선생님도 우리를 기다리고 계셨으면 좋겠다.

카론

명왕성

재니트는 프리즐 선생님 공책을 재빨리 넘겼습니다.
갑자기 재니트가 새로운 걸 발견했어요.
자동 조종에 대한 설명이죠.
우리는 제어판에서 소행성대 단추를 눌렀습니다.
그러자 버스가 서서히 돌아섰습니다.
이제 됐어요! 우린 이제 돌아가게 됐다고요!

소행성대 ✳✳

자동
조종 장치

재니트가 오늘
큰일을 했네.

거 봐! 재니트는
괜찮은 애라니까.

명왕성 너머에는 별들이
아주 많이 있습니다.
　　　　　　－알렉스
우리가 사는 태양계 밖에는
별들이 수천억 개나 있습니다.
태양계 밖에는 헤아릴 수
없을 정도로 많은 별들이
상상할 수 없을 만큼
멀리 떨어져 있습니다.
그 별들 중에는 행성을 거느리는
별도 있을 수 있습니다.

그 행성들 중에는 지구처럼
생명체가 사는 행성도
있을 수 있습니다.

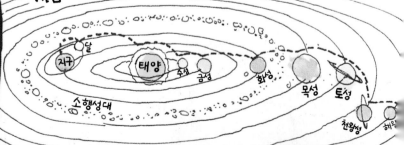

지금까지의 태양계 여행

달

지구

태양

수성

금성

화성

목성

토성

소행성대

천왕성

해왕성

프리즐 선생님께서 운전석에 앉자마자
버스는 곧장 지구를 향해 나아갔습니다.
우리는 다시 대기권으로 들어왔고,
"쿵" 하는 소리를 내며 땅에 착륙했어요.
그러고 나서 주위를 둘러보았죠.

여러분, 우리는 지금
지구에 도착했어요.
태양에서 세번째
행성이죠.

쿵~!

다시 주차장으로 돌아와 보니 로켓이
사라졌답니다. 우리가 입고 있던
우주복도 사라졌고요.
버스는 다시 고물 차가 되었습니다.
모든 것이 정상으로 돌아왔죠.

아! 살았다!

다시 만나서 반가워.
보고 싶었어.

태 양 계 행 성 표

행성	지름	자전 시간	1년 길이	태양까지 거리	달의 수	고리의 수
수성	4,878 km	58.6 일	88 일	5,790만 km	없음	없음
금성	12,104 km	243 일	224.7 일	1억 820만 km	없음	없음
지구	12,756 km	23.9 시간	365.3 일	1억 4,960만 km	1 개	없음
화성	6,794 km	24.6 시간	687 일	2억 2,790만 km	2 개	없음
목성	142,984 km	9.9 시간	11.9 년	7억 7,830만 km	16 개	1 개
토성	120,536 km	10.7 시간	29.5 년	14억 2,940만 km	18 개	많음
천왕성	51,118 km	17.2 시간	84 년	28억 7,100만 km	17개	11개
해왕성	49,528 km	16.1 시간	164.8 년	45억 430만 km	8 개	5 개
명왕성	약 2,300 km	6.4 일	248.6 년	59억 1350만 km	1 개	없음

우리는 교실로 돌아와서
멋진 행성표와 태양계 모빌을 만들었습니다.

우리들의 태양계

해왕성

⑥토성

소행성대

③지구

①수성

태양

②금성

④화성

⑤목성

⑦천왕성

⑨명왕성

지구에서 당신 몸무게와 운명을 말해 드립니다
kg
38.5
지구에서의 몸무게

어때요?
내 몸무게가 다시
38.5킬로그램이
됐습니다.

고향처럼 좋은 곳은
없습니다.

마침내 집에 갈 시간이 되었습니다.

오늘도 프리즐 선생님 반다운 하루였어요.

하지만 딱 한 가지 문제가 있었죠.

우리가 태양계를 일주했다는 걸 누가 믿어 줄까요?

독자 여러분 주목하세요!

여러분들의 스쿨 버스로 우주 여행을 하려고 해서는 안 됩니다.

안 되는 이유 세 가지:

1. 스쿨 버스에 로켓을 달면 선생님이나 교장 선생님, 그리고 부모님들께서
좋아하지 않으실 거예요. 어쨌거나 버스에 로켓을 단다고 해도, 지구 궤도
밖으로 나갈 수는 없습니다. 보통 스쿨 버스로는 우주에 나갈 수 없죠.
몇 년씩이나 걸리는 훈련을 받지 않고서는 우주 비행사가 될 수도 없습니다.

2. 다른 행성에 착륙하는 것은 위험합니다. 수성이나 금성은 태양에 너무
가까워서 굉장히 뜨거워요, 목성은 중력이 너무 강해서 사람 몸이 찌그러지죠.
그렇기 때문에 우주 비행사들조차 착륙하지 않았습니다.
인간은 태양까지 날아갈 수 없습니다. 태양의 중력과 열이 너무 강하기 때문이죠.

3. 우주 여행을 하면 가족과 함께 저녁 식사도 할 수 없고…… 그것 뿐만 아니라,
어른이 되어서도 돌아올 수 없어요. 할아버지가 될 때까지도 가족들 얼굴을 못 보게 됩니다.
스쿨 버스로 우주 여행을 할 수 있다고 해도, 하루 동안에 태양계 전체를 다 둘러볼 수는 없어요.
보이저 우주 탐사선이 태양계를 벗어나는 데에만 수십 년이 걸렸거든요.

그러나 ……

만일 우스꽝스런 옷을 입은 붉은 머리 선생님께서 학교에 나타나시면……
빨리 우주 여행 준비를 하세요!

조애너 콜은 어린 시절부터 과학에 흥미를 가지고 있었다.
그녀는 『벌레와 곤충의 세계』라는 책을 가장 좋아해서
그 책을 몇 번이나 되풀이해서 읽었다고 한다.
그녀는 아직도 그 책의 복사본을 가지고 있다.

브루스 디건이 가장 좋아한 책은 『앨머와 용』이다.
그가 처음 그 책을 도서관에서 빌린 것은
표지 그림이 마음에 들었기 때문이다.
브루스 디건은 곧 책을 읽기 시작해서
집에 도착하기도 전에 절반을 읽어버렸다고 한다.

옮긴이 이연수는 서울대학교 천문학과를 졸업했고, 지금은 번역 일을 하고 있다.

신기한 스쿨 버스